Before

조경희

Before 詩

발　행 | 2024년 03월 11일
저　자 | 조경희
펴낸이 | 한건희
펴낸곳 | 주식회사 부크크
출판사등록 | 2014.07.15.(제2014-16호)
주　소 | 서울특별시 금천구 가산디지털1로 119 SK트윈타워 A동 305호
전　화 | 1670-8316
이메일 | info@bookk.co.kr

ISBN | 979-11-410-7571-2

Before

조경희

kiyon KIM 作

시집을 내며

　학창 시절 일기를 참 열심히 썼고 새롭게 경험하는 것을 기록하기 좋아했다. 국어 선생님께서는 "작가 소질이 보인다"라고 하셨다. 말씀이 씨가 되었는지 '언젠가 때가 되면 글을 쓰며 살아야지' 했다. 나이 육십이 넘어 수필집을 내고, 시인으로 등단도 했다.

　등단으로 인정은 받았지만 내 시를 내어놓는다는 것은 너무도 쑥스럽고 부끄러운 일이다. 그러나 시인으로 서기까지 열심히 쓰던 습작을 버릴 수는 없다. Before라는 이름으로 내어놓는다.

차례

2020

산 그림자

다람쥐, 청설모와 경쟁하듯
망태기 든 내게
산 밤을 내어주던 지난해 그 산

초록과 분홍이 어울리고
새침한 보랏빛도 거들던
산허리 등산길엔
봄이 가고 여름도 소리 없이 갔다

총총걸음 바쁜 일상
계절 감을 몰랐다네
초록의 녹음을 밀어낸
울긋불긋 단풍들

앞서거니 뒤서거니
산 그림자 밟을라
구수한 찐 밤 즐겁던
그해 가을 그리네

2021

봄이 오는 소리

물 자락 펼쳐진 설 녹은 연못 위
갈 길 몰라 헤매는 작은 물고기 하나

올라 뛰어도 미동 없던 연못에
동면에서 깨어 봄 마중 나왔는가

설핏 녹은 얼음 뚫고 서둘러 나왔다가
물고기는 길을 잃었나 보다

작은 꼬챙이로 물길 내는 손길 바쁜 나
길 잘 찾아가라 애가 탄다 애가 타

사각사각 녹는 얼음 헤집으니
봄이 오는 소리 간지럽게 들리네

물안개

침잠한 호수
외로운 나룻배 하나
태공의 낚싯줄에
물고기 춤추며 듣는 물 자락

한 줄기 조용히 부는
바람에 묻어
뱃전에 부딪는
잔잔한 물결 소리

일렁이는 뱃머리
세월 낚는 강태공
물안개 짙게 내린 호수에
그림 되어 흐르네

바다의 연가

하얗게 부딪는 너울 파도 앞세우고
비릿한 소금 향기 머금은 바닷바람

끼욱끼욱 하늘을 가르며 나는 갈매기 소리
추억의 속삭임 귓가를 맴돌아 간다

뭇 별들이 내려앉은 바닷가 모랫벌에
밤이슬 젖도록 나누었딘 수줍은 사연들

세월이 가져간 아련한 옛 추억의 노래
청춘의 처염함 묻어 놓은 바다의 연가

아버지의 뒷모습

생각만 해도 눈가에 이슬이 맺히는
많은 사랑 주고 가신 나의 아버지
보고파 그리며 사랑방 문을 열어봅니다

두고 온 고향촌 꿈결에 그리는 실향민으로
부모 형제 헤어져 홀로 남은 모진 세월
삼 남매 자식 사랑으로 풀어낸 가슴앓이

아내 먼저 보내고 홀로 남은 그 세월을
꺼억꺼억 울음 삼켜 배 채우시던
그 외로움 누가 알아 풀어주리오

우연히 들쳐본 일기장 속 아버지의 슬픔
엿보고서 눈물 뿌렸던 그 옛날을 추억합니다
지금은 가고 없는 그리운 내 아버지의 뒷모습

산은 말한다

햇살 가득 베란다 창밖에 산들바람이 분다
길가 텃밭
찌그러져 널브러진 가구들
이리저리 부대낀 삶의 고뇌가 흐른다

세상살이 밭일 몸에 밴
촌노의 허름한 러닝셔츠
대충 걷어붙인 바지춤
식앙의 구름을 보는 듯하다

하얀 뭉게구름 어우러진 파란 하늘
녹음 짙어가는 노고산 자락에
한 폭 그림 되어 싱그럽게 피어난다

향긋하게 코를 간질이는 풀 내음
촌노의 어지러움에 돌려지는 눈길 잡고
그래도 괜찮다 나는 괜찮다

고무풍선

살포시 잠든 아기 얼굴
유모차에 달려 하늘하늘
한 올 실 흔들며 부르는 자장가

가녀린 어린 손목에 감겨
바람을 가르며 나불대는 그 모습

빨강 파랑 노랑 부딪히며 엮여 손짓하는
모양도 정겨운 둥그런 기둥

이파리에 얼굴 가려
보일 듯 말 듯
벚나무 우듬지에 걸려
하늘에 손짓하는 고무풍선

그날

꾸불꾸불 인생길 가다 머문 주막
싸리문 걸쳐놓은 긴긴밤 다정한 사연
총총걸음 내달리는 추억

잊으라 안 해도 잊히는 순진한 세월
홧홧하게 다가오는 기억들
아름답게 머무는
그날의 아련한 추억

모기

백악기 칠천구백만 년쯤
인간보다 먼저 지구에 태어나
호박 화석으로 보석이 된

꽃이나 과일의 단맛을 취하는 수컷
동물의 피를 취해 잉태하는 암컷

피를 적선할 순 있지만
가려움은 견디기 어려워
전염병은 더욱더 싫어

탁수에 둥지 튼 여린 장구벌레
잠자리 닮은 선한 두 눈이지만
피 찾아 헤매는 탐침은 무서워

피 빨아 통통하고 무거워진 아랫배
날지 못하는 빨간 네 엉덩이에
발그래진 부끄러운 팔뚝은

너를 보내야 하는 슬픈 숙명에
싸다구를 때릴까
연기로 잡을까
사르트르의 작품 [구토]가 생각난다

에잇!
손바닥이 허공을 가른다

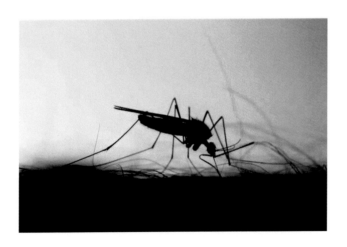

여름밤의 꿈

홧홧한 무더위
멍 때리는 한낮
땀에 젖는 가슴골

더위도 물렀거라
달려가는 오토바이
치열한 삶의 물결

똥 묻은 돼지 떼
안방 문 열어젖혀
몰려들고

낮에 듣던 비
한밤 자드락 비 되어
넘쳐흐르네

입가엔 침이 흐르고
깜빡 잠이 들었나

그 꿈 한 번 잘 꾸었다

화려한 외출

이수 넘긴 인생 중반
어느 세월 살아왔나

누구나 처음 가는 인생길
좌충우돌 세상살이

울고 웃던 부모 노릇
숨 가쁘게 달려온 길

기쁨 속에 가정 대사
보람으로 자리하고

떠나보낸 빈 둥지
인생 과업 졸업한 듯

인생 2막 기대하며
잉큼잉큼 뛰는 가슴

숫접게 댓돌 내 딛는
꿈을 찾는 화려한 외출

보슬비

땅거미 몰려오는 노고산자락
삿갓구름 아래 내리는 보슬비
헛헛한 마음 적시고

기억 멀리 침잠한 얼굴
바람 따라 인생길 따라
돌고 돌아 산허리에 걸리네

순응하며 가볍게 고개 숙인
잡초 무성한 울타리 자락
미물들의 조용한 움직임

제 몸 젖는 줄 모르고 뛰노는
수접은 진돗개 두 마리
다정도 하다

옹고집 이웃 어르신
태우다 만 굴뚝 연기 하염없이

바람 따라 흐트러지고

건들바람 시위하는
베란다 유리창 너머
수채화로 피어나는 보슬비

기차 여행을 떠나며

어둠 내려앉은 마드리드의 플랫폼
미끄러지는 리스본행 밤 열차

설레는 가슴
미소 머금은 얼굴
미지의 세계가 손짓하고

객실 안 피부색과 언어가 다른
이방인들의 발갛게 상기된 얼굴

행복 찾아 떠나는 둘만의 여행
올랑거리는 가슴 들킬세라

밤기차 침대칸에 몸을 의지한
영화 속 주인공 되어 떠나는 여행

바람에 스치는 향기

전깃줄에 줄지어 앉은
참새들의 정겨운 노랫소리

까옥까옥 커다란 동그라미 그리는
까치인 듯 까마귀인 듯

화장 진한 여인의 입술 닮은
떨어져 흩어진 달콤한 장미 꽃잎

달콤새콤 싱그런 풀 내음
코끝에 드는 향기

정제에서 들려오는 누룽지 긁는 소리
바람에 향기 되어 스치는 멋스러움

바람에 스치는 향기는
실바람이 전해주는 목가적 이야기

손주 향기

- 決

어느 날 유성처럼
안겨 온 내 꽃송이
이내 손길 바쁘고 힘들어도
그 향기에 취해
세월 가는 줄 모른다네

사부작사부작
돌아치는 몸놀림
귀에 걸리는 미소

쓰담쓰담
머무는 손길
마음속에 꿀단지

아른아른
손주 머문 자리 바람이 들면
속살거리는 고소한 향기

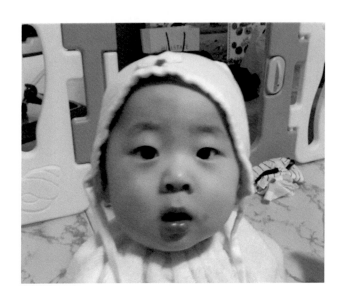

해맞이
- 촛대바위

촛대 바위 빛살 뒤
검푸른 바다
붉은 물감 앞세우고
춤을 추며 오르는
천지지간 천하일품 불덩이 하나

삼백예순 다섯 한 해 한 날
가고 오는 이방인의 몸짓에
실풀이 조심스레 합장하는 손

희망으로 지르는 함성
어제는 애달파도 내일은 웃으리
기린목 되어 발걸음 바쁜 촛대 바위

2022

바람 불어 좋은 날

바람이 분다
구르는 낙엽에 묻어오는 얼굴이 있다

둥개둥개 까치발 즐거이 돌아치던
연분홍 입술 홍조 띤 두 볼

가슴 언저리 엷은 그림자
희나리로 남은 청춘의 꽃등

바람으로 불쏘시개 만들어
마저 태워 석간수에 띄워 보내리

잉큼거리는 가슴 바람 불어 좋은 날
머스렁이 받아안고 수접기도 하다

봄이 왔나 보다

잎새 눈뜨는 대지 위를 소리 없이
하얗게 덮어 버린 잔설

겨울잠 깬 소나무 우듬지 위
얼어붙은 영롱한 구슬 들

햇귀의 따스한 미소에
맑은 눈물 되어 떨구누나

그래
봄이 오나 보다
너무도 아름답던 겨울의 단말마

생명의 신비

마을 어귀 나지막한 구릉
숨죽이며 서 있는 장승
하세월 밉상 맞던 枯死木에
내려앉은 봄처녀

기적이 났다
이른 봄 햇귀 받아 돋았나
하늘까지 뻗은 枯死木 우듬지에
파릇하게 움튼 눈곱만한 초록빛

알 수 없는 생명의 신비
긴 잠 깨어 기지개 켜듯
초록 잎눈 앞 세우고
영생을 뽐내는 물오른 생명의 눈빛이어라

별이 된 꽃 봉오리

- 러시아 군 총격으로 사망한 우크라이나 유아를 생각하며

명경 같은 파란 눈망울 위로
홧홧하게 날아오는 불꽃
하늘을 밝히는 불꽃놀이처럼

어느 노망든 미치광이
어리석은 한풀이
푸닥거리 전쟁놀이에

봄 마중 나왔다가
마주한 생의 뒤안길
밤하늘 별이 된 꽃봉오리

고목의 봄

세상 풍파이고 지고
늘어진 가지 체념을 매달고
죽은 듯 엎드린 고목

간지럽게 들려오는 새소리
지저귐 분주한 우듬지에 흔들리는 둥지
아침을 깨우는 봄빛의 소리

숨죽이며 세상에 누워버린
노목의 가슴에도 불이 붙는가
새 생명이 움트는가
꿈틀대는 생명의 잎새 소리

어뚝새벽 햇귀에 눈이 부셔
실눈 뜨고 바라보니
어느새 물오른 고목의 새봄

손주
- 栗

제 어미가 들었나 보다
실눈 같은 초승달이 뜬다

발그레 물오른 두 볼
날갯짓하는 콧방울

방글방글 까르륵
입꼬리가 하늘을 난다

순백의 고소함
천상천하 이보다 더 아름다울까

녹슬은 기찻길
- 일영역

BTS가 다녀갔다지

청바지 체크무늬 남방
통기타 흥겨운 남정네 그리메
잉큼잉큼 뛰던 가슴

맹꽁이 타령 여울목
흥에 겹던 젊은 날의 초상

돗자리 코펠 버너 청춘의 입방아
수접던 불놀이 밤이슬에 젖고

한바탕 자드락 비 훑고 간 자리
두 갈래 철길 꿈속에 머물고

세월의 발자취 지르밟고
갈 길 잃은 녹슬은 기찻길

시인이 되시렵니까

숫접게 드러낸 속살
거니챌까 조심스레 마음의 문을 엽니다

작두 타는 선무당 버선발
한바탕 살풀이 춤사위마냥

희로애락 세상만사 풀어내는
풍물놀이 무동의 어깨춤으로

무명천 화폭 위를 헤매이는
화백의 몸부림 같은

한 땀 한 땀 고운 손길
고뇌에 젖는 장인의 숨결

오색 실로 이바구 엮어내는
시인이 되시렵니까

봄
- 차창에 듣는 봄비

타닥타닥
봄비 소리 깜찍하게
차창에 듣고

스륵스륵
두 손 흔들어
마중하는 벗

흥얼흥얼
목청 키우는
빛 고운 향연

스멀스멀
간지럽게 피어나는
지난 이야기

왁자지껄
한바탕 마당놀이에

피어나는 봄

풀꽃의 이름으로

어둠 내려앉아
천지분간 어려운
망망대해 슬픈 쪽빛으로

어지러운 세월
누구도 모르오
아무도 모르오

편자로 밟히어도
숨어 숨어 슬픔 참는
영혼들의 고운 외침

미풍에 감기 우고
산새 똥 맞아도
수줍다 못해 처염한

두루마리 안개 걷히는
산비탈 숨어 핀

풀꽃의 이름으로 살리

졸음

쇠구슬이 달렸나 보다

힘을 주고 까불어도 감기우는 눈꺼풀
적막강산 고요한 이 밤
멍 때리는 시인은 한수(鼾睡)에 젖어 헤매입니다

동그맣게 앉은 가부좌로
검은 밤 하얗게
머리와 몸이 각기 다른 꿈을 꿉니다

이마는 책상 위로 방아를 찧고
깜빡 훑고 간 졸음
화들짝 방앗소리에 꿈길을 접네요

이 세상 삼라만상 중에
이보다 더 무거운 게 또 있을까요
졸음에 겨워 등걸잠에 취해버린 시(詩) 한 수

빛바랜 앨범

파릇한 잔디 위로 피어나는 얼굴 들

깔깔 호호 무슨 이바구 그리 좋은지
볕이 식어지고 달그림자 고개 내밀 때
허공에 깃든 그때의 시간들 이대로 멈추었으면

웃음꽃 향기 뿜어댔던 너와 나 그리고 우리들
신날래 개나리 라일락에 수선화로
빛깔 고운 꽃밭이 되었지

창가에 고운 자태 뽐내던
연보라 바이올렛 잎새도
낮밤이 여러 날 맴을 도니 빛을 잃었다

우정은 기억 속에 빛바랜 앨범으로 남아
속내 꺼내 되새김질도 즐거운 거라고
남몰래 입가에 번지는 미소 추억으로 피어난다

꽃비
- 소소리바람에 떨어지는 벚꽃

하늘에 무도회가 열렸다

송이송이 하얀 송이
나풀거리는 선녀들 옷자락

살그머니 귀밑머리 흩으며
윙크하는 얄미운 소소리바람

햇살에 장단 맞춰 탱고 춤추는
천사들의 무도회

두 볼 볼그레한 새아씨도
앙가슴 숫접게 끌어안으며

연분홍 치마 양탄자로 깔고
사뿐히 지르밟고 가라 하네
인적 드문 신작로 가로수 길
부끄러워 고개 떨구는 꽃비

이보다 더 좋을 수가

작은 날개 달고 둥개둥개
얼기설기 세모시로 엮어낸 둥지 속
옹기종기 주둥이 내밀며 속삭거리던
날려 보낸 새 두 마리

꽃바람 고운 향기 코끝을 간질이고
돌무더기 헤집고 철쭉이 윙크할 때
두 마리 새 마중하는
한세월 함께한 동무로 남아

아장아장 뒤뚱뒤뚱 함박꽃 입에 문
솜사탕보다 달콤한 손주 볼 비빌 때
천상천하 이보다 더 좋을까
태고이래 이런 행복 또 있을까

둥우리 찾아 날아든 꽃봉오리들
빠알갛고 노오란 색동옷 입고
파란 잔디 양탄자 위 피는 웃음꽃

이보다 더 좋을 수 있을까

길 잃은 꽃 한 송이

꽃바람이 분다
뭉게구름 사이로 어리는 얼굴
해님인가 달님인가

무지갯빛 행복 묻어있는
아련한 기억 저편으로
멀고 먼 강 건너가신 님

솜사탕 같은 둥우리
천둥벌거숭이 품에 안고
이슬에 젖을까 금수에 채일까

노심초사 한세월
파란 흔적 남기고
무에 그리 바빠 내달려 가셨는지
눈을 감고 헤매어도
눈을 뜨고 돌아쳐도
안개 밭 길 끝 간 데 없네

두 손 모두 어
갈 곳 몰라 헤매이는
길 잃은 꽃 한 송이

산말랭이 집

산동네 비탈 아래 우물이 있다
양철통 물지게 진 남정네들
굵은 알통 으스대는 어깨 위로 가난이 흐른다

초롱불 숯검댕이 어린 시절
백열등 불 밝히던 날
해가 떴다 좋아라

꼬장 물 두 볼에
덕지덕지 콧방울에 딱지 달고
눈웃음 예쁘던 까까머리 머슴아이

동장군 기승하던 그해 겨울
얼어버린 아버지의 자리끼
손가락 쩍쩍 문고리에 달리고
젖은 행주 훔친 자리 미끄럼 타는 그릇
좁은 골목길만 이정표 되어
추억을 묻어놓고 세월을 앗아간

어디메 숨었느냐 추억의 산말랭이 집

놀아나 보세

총각탈 각시탈 흔들흔들 고갯짓
하얀 장삼자락 하늘을 날고
버선발 장단 맞춰 구름을 걷네

사자탈 양반탈 꼭쇠도 정겹게
피리 장단, 꽹과리 징 소리 흥에 겹고
들썩들썩 무동의 어깨춤 위로
상모 꼬리 허공에 손짓할 때

핫바지 깡통치마 널을 뛰고
시름시름 인생살이 쉬어가는 고갯길
시위하는 고단한 삶
장구 소리 장단 맞춰 한바탕 놀아나 보세

기다림
-물망초

피지 못한 꽃 한 송이
몽우리 안으로 후비며
처절하게 울부짖을 때

미온의 태양을 받아안고
들썩이는 향기 감추며
그날이 어서 오기를

미풍이 흝고 간 자리
못다 핀 꽃 한 송이
기다림에 지쳐 흐드러질 때

바람이 걸쳐놓은 사연 하나
자근자근 가슴에 수놓고
고갯짓 수줍은 물망초

여왕의 향기
- 장미

나 여기 있노라

나그네 귓가에
달려와 속삭거리는

초록의 치마폭에 숨어
유혹하는 붉은 입술

실바람 날개 달고
간드러진 고갯짓
스스럼 하나니

님 그리메 밟힐라
향기 숫접게 드러낸
여왕이시여

숯가마

이글이글 태양을 삶아 먹었나
붉고 푸른 혼이 되어 오르는 참나무 등신불
요염한 교태가 하늘에 닿은 듯
눈을 뗄 수가 없다

맑고 고운 불꽃에 헌화하듯
오장육부 사지육신 온몸을 내어주며
옹기종기 둘러앉아 도를 닦는 군상들

등줄기를 타고 개울이 흐른다
숨구멍을 열고 긴 호흡으로 달구어진 몸
잡귀야 물러가라
헌 집 줄게 새집 다오

이게 아닌가 보네
- 낚시

삿갓구름 내려앉은 골짜기 물터 난간에
가부좌로 줄지어 앉아
조요히 도를 닦는 수도승

빨간 방울
노란 방울 던져놓고
조물주의 자비하심에
합장하며 빌고 또 비나이다

석간수 냉기 먹은 산들바람
일더위 비지땀 식히고
신선놀음 따로 없는
천지사방 갈매의 향연

가늘게 떨리는 물그림자
침묵 속에 번지는 미소
하늘로 오르는 붕어의 용트림
동아줄 타고 오르는

붕어의 단말마
이게 아닌가 보네

저도 꽃이랍니다

잡초 무성한
산자락 후미진 곳

연한 보라색
꽃이 피었다

자칫 밟을 줄……,

'조심하세요'
저도 꽃이랍니다

허퉁한 마음

을씨년스러운
계절 창을 닫는다

하늘엔 양떼구름 너울거리고
대추 나목 우듬지엔
미처 떨구지 못한 눈슬비가
햇살과 동무 되어 춤을 추는데

철 따라 바뀌는 계절의 단맛이
오늘따라 씁쓸하게 다가오는 것은
당아 먼 줄 알았던 한 해의 끝자락이
설운살 먹은 아이처럼 서럽기 때문이지

잠시 마음의 빗장을 걸고
허퉁한 마음 달래본다

기다림의 미학
- 거미

미동이 없다

인적 드문 후미진 곳
뭇 눈총 피해 자리한

슬픈 인연 기다리며
산고의 고통으로 풀어낸 실타래

태양을 업은 훈풍
멍 때리는 한낮

자드락비 그치고
마파람 지나는 길목

인고의 시간
고요도 지쳐 침잠할 때
만찬의 때가 왔는가
그것은 기다림의 미학

도전!

무언가 작심을 한 모양이다

살포시 날개를 편다

엉거주춤
중심을 잡고

뒤뚱
뒤뚱

이내 멈추고
숨을 고른다

천근만근 엉덩이
두 발 떼기 걸음마 힘에 부쳐

못내,
살그머니 내려놓는
엉덩방아

향긋한 미소 머금고
다시 한번, 도전!